D0091212

Zu diesem Buch

Unter den Werken Henry Millers hat diese Fabel vom besessenen Ich, das zu sich selber kommen möchte, vom Clown, seinem Lächeln, seiner Trance, dem Mond und der Leiter, den Rang eines Kabinettstücks. Hier wird, auf der unablässigen Suche nach Reinheit und Glückseligkeit, eine Stimme hörbar, die von der Utopie der Selbstverwirklichung spricht – ein poetischer Anruf des Glücks. Die Gestalt des Clowns August gleicht Miller vielleicht am ehesten, dem Dichter, der selber die Geschichte ist, die er erzählt. Und wovon diese Geschichte handelt, das wird am Schicksal des Clowns kenntlich, an seiner verlorenen und wiedergefundenen Identität. Indem er sich der Welt hingibt, verliert er sich selber, denn die Leute, die über ihn lachen, lachen nicht aus der Glückseligkeit, die das Lächeln des Clowns ihnen schenken will. Den poetischen Traum Henry Millers illustrieren die Blätter von Joan Miró. Der große spanische Künstler hat Miller einst die Requisiten dieser Erzählung geschenkt: die Leiter und den Mond. Die Impulse, die der Dichter dem Maler verdankt, wirken auf den Maler zurück, einen Zauberer, der nicht anders als der Dichter in der schöpferischen Metamorphose die Realität begreift. Der italienische Komponist Antonio Bibalo hat sich von Millers Text zu einer Oper anregen lassen, die 1965 an der Hamburgischen Staatsoper unter Rolf Liebermann und in der Inszenierung von Egon Monk mit großem Erfolg uraufgeführt wurde.

Henry Miller, der am 26. Dezember 1891 in New York geborene deutschstämmige Außenseiter der modernen amerikanischen Literatur, wuchs in den Großstadtstraßen Brooklyns auf. Neun Jahre gehörte er dann den Pariser Kreisen der «American Exiles» an. In der von Peter Neagoe herausgegebenen avantgardistischen Anthologie «Americans Abroad» (1932) erregte er erstmals mit der Erzählung «Mademoiselle Claude» Aufsehen, die auch in dem rororo-Band Millerscher Meistererzählungen «Lachen, Liebe, Nächte» (Nr. 227) enthalten ist. Ein Jahr vorher hatte er sein vielumstrittenes, erstes größeres Werk «Wendekreis des Krebses» (rororo Nr. 4361) abgeschlossen, ohne Hoffnung, dieses alle moralischen und formalen Maßstäbe zertrümmernde Werk jemals gedruckt zu sehen. Dem Wagemut eines Pariser Verlegers verdanken wir die erste Buchveröffentlichung in englischer Sprache, der später ein weiteres romanhaft-autobiographisches Werk, «Wendekreis des Steinbocks» (rororo Nr. 4510), folgte. Henry Miller starb am 7. Juni 1980 in Pacific Palisades / Calif.

Von Henry Miller erschienen als rororo-Taschenbücher außerdem: «Der Koloß von Maroussi» (Nr. 758), «Big Sur und die Orangen des Hieronymus Bosch» (Nr. 849), «Nexus» (Nr. 1242), «Plexus» (Nr. 1285), «Schwarzer Frühling» (Nr. 1610), «Mein Leben und meine Welt» (Nr. 1745), «Der klimatisierte Alptraum» (Nr. 1851), «Insomnia oder Die schönen Torheiten des Alters» (Nr. 4087), «Von der Unmoral der Moral» (Nr. 4396), «Sexus» (Nr. 4612), «Die Welt des Sexus» (Nr. 4991), «Stille Tage in Clichy» (Nr. 5161), «Opus Pistorum» (Nr. 5820) «Jugendfreunde» (Nr. 12587), «Frühling in Paris» (Nr. 12954), «Joey» (Nr. 13296), «Mein Fahrrad und andere Freunde» (Nr. 13297), «Meine Jugend hat spät begonnen» (Nr. 13338), «Der Engel ist mein Wasserzeichen. Sämtliche Erzählungen» (Rowohlt 1983) und «Tief im Blut die Lockung des Paradieses. Lesebuch» (Rowohlt 1991).

In der Reihe «rowohlts monographien» erschien als Band 61 eine Darstellung Henry Millers mit Selbstzeugnissen und Bilddokumenten von Walter Schmiele, die eine ausführliche Bibliographie enthält.

Henry Miller
Das Lächeln am Fuße der Leiter
Mit Illustrationen von Joan Miró

Rowohlt

Das
Lächeln
am Fusse
der Leiter

HENRY MILLER

JOAN MIRÓ

Das Lächeln am Fuße der Leiter

Nichts konnte dieses ungewöhnliche Lächeln trüben, diesen Schimmer über Augusts traurigem Gesicht. Im Ring der Manege begann es aus sich selbst zu leuchten, es löste sich ab und strahlte aus eigener Fülle: Abglanz eines nie gesehenen Lichts.

Am Fuße der Leiter, die er gegen den Mond gelehnt hatte, setzte sich August nieder, in Betrachtung verloren. Sein Lächeln gerann, und seine Gedanken waren weit fort. Mit all der Vollendung, die er nun erreicht hatte, spielte er seine Ekstase und überraschte jedesmal das Publikum mit der äußersten Unbeholfenheit, die ein Mensch zeigen kann. Der große Clown beherrschte viele Tricks, aber seine Ekstase war unnachahmlich. Keinem war es bisher gelungen, die Entrückung darzustellen.

Abend für Abend wartete er am Fuße der Leiter auf das weiße Pferd, dessen Mähne in goldenen Kaskaden zu Boden fiel. Es kam und berührte ihn mit den Nüstern. Die Zärtlichkeit der Stute, laue, feuchte Wärme in seinem Nacken, war wie der Abschiedskuß einer Geliebten. Zärtlich weckte sie ihn, sanft wie der Tau am Morgen die Grashalme, die unter ihm erzittern.

Jeden Abend wurde er aus der Entzückung wieder

hineingeboren in den Kreis des grellen Scheinwer-
ferlichts. Da waren wieder Tisch, Stuhl und Decke;
das Pferd, eine Glocke, bunte Pappreifen; und die
ewige Leiter, der Mond in der Kuppel, die Bocks-
blase. Mit diesen Requisiten spielten August und
seine Kumpane jeden Abend das Drama menschlichen Martyriums.

In schattenhaften Zirkeln hob sich rings um sie
Sitzreihe über Sitzreihe aus dem Dunkel der Arena:
Gesichter, und große Lücken dazwischen, in denen
der Strahl des Scheinwerfers wie eine scharfe Zunge
leckte. Die Musiker, verschwimmend im glitzernden
Staub und im Flimmern der Magnesiumlichter,
klammerten sich wie gebannt an ihre Instrumente.
Im Wechselspiel von Schatten und Licht wogten ihre
Körper wie Sträucher im Wind. Der Schlangen-
mensch rollte sich ein und schnellte wieder empor –
über einem gedämpften Wirbel der Trommeln. Eine
Fanfare der Trompete kündigte den Kunstreiter an –
das war die Regel. August begleitete manchmal ein
dünnes, spitzes Sägen auf der Violine, manchmal
der Spottdrosselton einer Klarinette bei seinen
Sprüngen und Narrenspossen. Aber vom Augenblick seines Eintritts in die Trance an verfolgten ihn
die Musiker, sogleich inspiriert, von Spirale zu
Spirale, von Glückseligkeit zu Glückseligkeit, wie
Schlachtrosse eines wildgewordenen Karussells.

Jeden Abend, beim Schminken in der Garderobe,
hatte August ein Gespräch mit sich selbst. Die See-

hunde, was immer man sie tun ließ, blieben See-
hunde. Das Pferd ein Pferd; der Tisch ein Tisch. August dagegen blieb ein Mensch und hatte mehr zu
sein: ein ganz besonderes Wesen mit nur ihm eigen-
tümlichen Gaben. Er mußte die Leute zum Lachen
bringen. Sie weinen machen, das war nicht schwer,
auch ihr Lachen war noch leicht hervorzurufen, das
hatte er schon vor Jahren entdeckt, lange bevor er
vom Zirkus zu träumen begann. Aber er hatte einen
höheren Ehrgeiz: er wünschte den Menschen das
Geschenk einer unablässigen, stetig sich neu er-
weckenden, neu sich speisenden Freude zu geben.
Diese fixe Idee hatte ihn zu seiner Finte veranlaßt,
zur Ekstase am Fuße der Leiter.

Durch puren Zufall war er in Trance verfallen,
hatte das Nächste um sich und was zu tun war vergessen. Als er seine Sinne wiedererlangte, verwun-
dert und im höchsten Maße beunruhigt, hörte er
frenetischen Applaus. Am nächsten Abend wiederholte er das Experiment, diesmal absichtlich und
wohlüberlegt, in der Hoffnung, das rohe, sinnlose
Lachen würde endlich der unermeßlichen Freude
weichen, die zu erwecken er so innig wünschte.
Doch jeden Abend erwartete ihn, seinen fieberhaf-
ten Anstrengungen zum Trotz, derselbe irre Beifall.

Je mehr Erfolg er mit dieser Nummer einheimste,
desto glühender wurden seine Anstrengungen. Das
Lachen verschärfte sich zur Qual seiner Ohren. Endlich wurde es ganz unerträglich.

Und eines Abends verwandelte sich das Gelächter in Heulen und Pfeifen. Hüte flogen in die Manege, Orangenschalen, Bananen und festere Gegenstände folgten. August erwachte aus seinem ekstatischen Lächeln nicht mehr zur Trauer der Welt. Dreißig Minuten hatte das Publikum gewartet, war unsicher geworden, dann mißtrauisch, und schließlich waren die Nerven gerissen und es explodierte wie ein überheizter Kessel: Hohn strömte aus wie Dampf.

Als August in seiner Garderobe das Bewußtsein wiedererlangte, staunte er, einen Arzt über sich gebeugt zu sehen. Sein Kopf und sein Gesicht waren völlig zerschnitten und zerschlagen. Blut weichte die bunte Schminke auf und gerann mit der fettigen Farbe. August war vollkommen unkenntlich: er glich einem vergessenen Stück Fleisch am Hackstock des Metzgers.

Als er den Kontrakt zerrissen hatte, floh August aus der Welt, die er kannte. Seinen Beruf wollte er nicht weiter ausüben. Unbekannt und unerkannt trieb er zwischen den Millionen, die er zum Lachen gebracht hatte. Es war keine Bitterkeit in seinem Herzen, nur tiefe Trauer. Und es war ein endloser Kampf, die Tränen zurückzuhalten. Er richtete sich mit diesem Zustand seines Herzens ein.

Es ist nichts, sagte er zu sich selbst, nur ein vorübergehendes Mißbehagen, das jeden ergreift, wenn er plötzlich die gewohnte Bahn verlassen

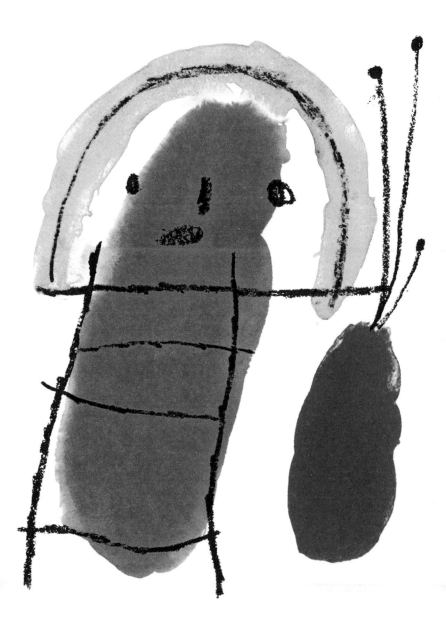

muß, und ich bin ein Leben lang in dieser Bahn gefahren. Was Wunder...

Die Monate vergingen, und er begriff allmählich, daß er Verlorenem nachtrauerte. Etwas war ihm genommen worden – nicht die Fähigkeit, Menschen zum Lachen zu reizen, das fesselte ihn längst nicht mehr, nein, Tieferes, das nur ihm allein gehörte. Eines Tages dämmerte in ihm die Erkenntnis, daß er seit langer Zeit den Zustand der Glückseligkeit vermißte. Diese Entdeckung machte ihn zittern, er konnte es nicht mehr erwarten, in sein Zimmer zurückzukehren. Aber anstatt das Hotel aufzusuchen, rief er ein Taxi herbei und verlangte vom Fahrer, daß er ihn vor die Stadt führe. Aber wohin? wollte der Chauffeur wissen.

«Überallhin, wo es Bäume gibt», erwiderte August ungeduldig. «Beeil dich, ich bitte darum – es ist dringend...»

Hinter einem Kohlenschuppen fand der Chauffeur einen einzelstehenden Baum. August befahl zu halten.

«Ist es hier?» fragte der Fahrer ahnungslos.

«Ja, und laß mich in Frieden...»

Lange Zeit mühte sich August verzweifelt, rund um sich jene Atmosphäre zu schaffen, die ihn umgab, wenn er abends im Zirkus zur Leiter trat. Es war eine Voraussetzung. Aber das Licht blieb hart und unerbittlich; eine schreckliche Sonne brannte in seinen Augen.

Das Einfachste ist, dachte er, ich bleibe hier sitzen, bis die Nacht kommt. Wenn der Mond aufsteigt, wird alles seinen rechten Platz finden.

Wenige Augenblicke später war er bereits eingeschlafen. Es war ein schwerer Schlaf. Er träumte von seiner Rückkehr in die Manege. Nichts hatte sich dort geändert, alles war geblieben, wie es war, nur war es nicht länger ein Zirkus, in dem gespielt wurde. Die Kuppel war verschwunden, die Wände des Zeltes waren fortgestürzt in die Nacht.

Über seinem Haupt stand der wirkliche Mond hoch in den Himmeln, ein Mond, der durch unbewegte Wolken ritt. An Stelle der Sitzreihen dehnte sich in sanfter Steigung Mauer an Mauer, aus Menschen gebildet, wie die Befestigungswälle einer Stadt.

Kein Laut, kein Lachen, kein Murmeln dieses Publikums. Eine unübersehbare Menge von Gespenstern in einem endlosen Raum, und jedes dieser grauen Gespenster hing an einem Kreuz. Erstarrt vor Angst, vergaß August alles, was er hatte tun wollen.

Nach einer unerträglich langen Pause der Unentschlossenheit, während der er sich grausamer verraten und verlassen fühlte als der Erlöser selbst, machte er einen wilden Versuch zu entfliehen. Aber wohin immer er rannte: die Ausgänge waren versperrt. In seiner Verzweiflung stürzte er sich auf die Leiter und begann fieberhaft zu klettern, emporzuklimmen, immer höher und immer noch höher, bis

16

ihn der Atem verließ. Da hielt er inne, atmete und wagte die Augen zu öffnen.

Zuerst blickte er nach unten. Die Leiter verlor sich mit ihrem fast unsichtbaren Fuß auf einer fernen Erde. Dann blickte er empor. Sprosse nach Sprosse stieg da auf, durchstieß in einer endlosen Reihe die Wolken und das Blau des Himmels und führte gerade an den Mond hinan. Es war ein Mond, der unter den Sternen lag, ein Mond, unausdenkbar fern, feuchtschimmernd wie eine Scheibe aus Eis, an das Gewölbe der Welt gefroren. August begann zu weinen und zu seufzen. Echogleich, schwach und verhalten zuerst, aber langsam schwellend bis zur Klage des Ozeans, drangen zu ihm die Seufzer der Menge. «Schrecklich», murmelte er im Traum. «Schrecklicher als Geburt und Tod. Ich bin gefangen im Fegefeuer.» Darüber schwanden August die Sinne, und er fiel hintenüber ins Nichts. Nur so viel kam ihm noch zum Bewußtsein, daß die Erde seinem Körper in riesiger Masse entgegenwuchs. Und das, wußte er, würde das Ende Augusts sein, das wahre Ende, der Tod aller Tode.

Erinnerung streifte ihn, wie Licht aufblitzt an der Schneide eines Messers. Er hatte nur mehr eine Sekunde, keine zweite, eine halbe Sekunde vielleicht, und dann war unwiderruflich Schluß. Was störte nun die Tiefe seiner Seele, woher kam das jähe stählerne Strahlen? Leuchtete es ihm schon voran in die dunkle Höhle des Todes und der Vergessenheit? Er dachte mit einer so fiebrigen Schnelligkeit, daß sich sein ganzes Leben im Bruchteil einer Sekunde vor ihm versammelte. Aber den wichtigsten Augenblick in diesem Leben, das Kleinod, um das sich alle anderen, kleineren Steine, Stunden und Tage ansetzten – dies wiederzuerleben gelang nicht. Es war das Licht, die Offenbarung selbst, die unterging. Denn er wußte nun: es hatte in seinem Leben einen Augenblick gegeben, in dem sich alles erhellte. Und jetzt, da es zum Sterben ging, wurde er dieser höchsten Gabe heimtückisch beraubt. Mit der Geschicklichkeit eines genialen Geizhalses versuchte er das Unmögliche: er fing das letzte Glänzen der Sekunde wie einen Spiegel aus Glas und zersplitterte sie in unendlich winzige Teilchen. Nichts in seinem Leben konnte sich mit dem sinnlichen Entzücken vergleichen, das er inmitten dieses zertrümmerten, aufgelösten Bruchteils einer Sekunde schwebend empfand. Inmitten dieser funkelnden Splitter, in einem durchsichtig feinen Netz der Zeit sank er hinab und entdeckte voller Schrecken, daß es die Fähigkeit zur Erinnerung war, die er in sich zerschlagen hatte. Er fiel in die Leere, stürzte in das absolute Nichts, in die Nacht.

Von seinen Träumen sinnlich erschöpft und verwüstet, beschloß August am nächsten Tag, sein Zimmer nicht zu verlassen. Erst gegen Abend zu rührte er sich. Er hatte den ganzen Tag im Bett verbracht, in einem teilnahmslosen Spiel mit den Bruchstücken

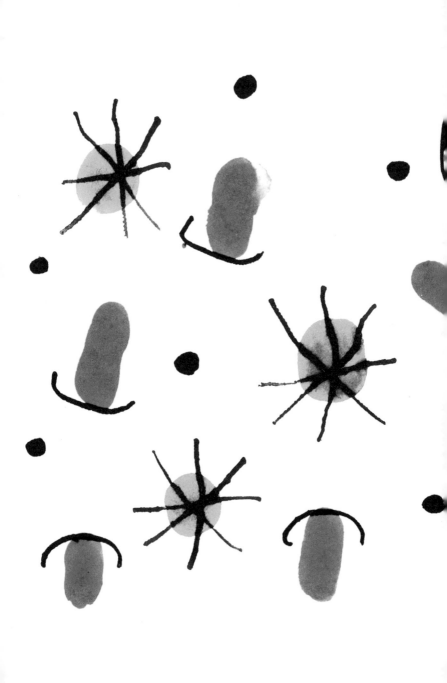

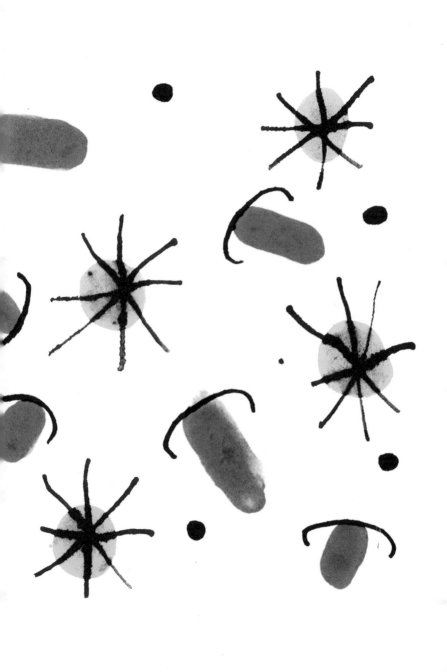

seiner Erinnerung, die ihn noch wie ein Schwarm von Heuschrecken umschwirrten. Endlich gelang es ihm, diesem weiten, brodelnden Kessel zu entrinnen. Er zog sich an und ging fort, verlor sich müde in der Menge. Kaum entsann er sich des Namens der Stadt, durch deren Straßen er strolchte.

An ihrem Rande stieß er auf eine Zirkustruppe, eine jener unsteten Banden, die ihr Leben auf der Achse verbringen. Augusts Herz begann stürmisch zu pochen. In großer Erregung näherte er sich einem der Wagen und stieg zaghaft die kleinen Stufen an seiner Rückseite empor. Er wollte an die Tür klopfen. Da hörte er das Wiehern eines Pferdes und hielt inne. Im selben Augenblick spürte er die Nüstern des Tieres in seinem Rücken. Eine tiefe Freude durchschauerte seinen Körper. Die Arme um den Hals des Tieres geschlungen, sprach er zarte, milde Worte, als grüße er einen lange verschollenen Freund.

Die Tür des Wagens wurde mit einem plötzlichen Ruck geöffnet und eine helle Frauenstimme unterdrückte einen Ausruf der Überraschung.

«Ich bin's nur, August...» murmelte er außer Fassung.

«August?» wiederholte die Stimme. «Kenne ich nicht.»

«Entschuldigen Sie!» sagte er leise und schuldbewußt. «Ich gehe auch schon.»

Aber er war noch keine fünf Schritte weit gekommen, als er die Frau rufen hörte.

«He! August! Komm zurück! Warum läufst du weg?»

Er blieb stehen, drehte sich um, zögerte einen Augenblick, dann floß ein Lächeln über sein Gesicht. Die Frau lief mit ausgestreckten Armen auf ihn zu. August erschrak. Für eine kleine Sekunde hatte er das Bedürfnis zu fliehen. Aber es war zu spät. Die Arme der Frau umklammerten ihn bereits und hielten ihn fest.

«August, August!» rief sie immer wieder. «Daß ich dich nicht gleich erkannt habe!»

August erbleichte bei diesen Worten. Zum erstenmal wurde er auf seiner langen, einsamen, ziellosen Wanderung wiedererkannt. Die Frau hielt ihn wie in einem Schraubstock fest. Nun küßte sie ihn, erst auf eine Wange, dann auf die andere, dann auf die Stirn und schließlich mitten auf den Mund. August bebte wie ein Blatt im Wind.

«Ich möchte gerne ein Stück Zucker», bettelte er, als er sich befreien konnte.

«Zucker?»

«Ja, für das Pferd», sagte August.

Während die Frau in den Wagen zurückkehrte und auf der Suche nach Zucker im Innern rumorte, setzte sich August bequem auf den Stufen zurecht. Mit sanfter, zitternder Nüster liebkoste das Pferd seinen Nacken. Seltsames Zusammentreffen: gerade in diesem Augenblick stieg der Mond hinter den Bäumen am Horizont empor. Eine wunderbare Ruhe

kam über August. Für einige wenige Sekunden – wenn es Sekunden waren – saß er in einem Halbschlaf der Dämmerung. Dann kam die Frau zurück. Ihr weiter Rock wehte über seine Schulter, als sie leichtfüßig zu Boden sprang.

«Wir glaubten alle, du seist tot», sagte sie.

Sie setzte sich zu seinen Füßen auf den Rasen.

«Und alle Welt hat dich gesucht», fügte sie hinzu, während sie ihm Stück für Stück Zucker in die Hand schob.

August lauschte stumm. Die Worte flossen über ihn hin, aber ihren Sinn begriff er nur langsam, so langsam, als kämen die Worte vom fernen Ende der Welt. So oft die Zunge des Pferdes lau und feucht seinen Handballen leckte, durchrann ihn das Entzücken mit köstlichen Schauern. Jetzt erlebte er eindringlich wieder jenen Zustand zwischen Traum und Wachen, den er sonst nur vom Fuße der Leiter her kannte, die Pause zwischen der Entrückung, die ihn kraftlos zurückließ, wenn er ihr langsam entwich, und dem vollen Ausbruch des Beifalls, der in seinen Ohren mählich wie das Rollen eines fernen Donners schwoll.

Keinen einzigen Augenblick lang dachte August daran, in das Hotel zurückzukehren und sein Gepäck zu holen. Eingeschlossen in den magischen Kreis der Räder und Wagen, lag er nahe dem Feuer auf seiner Decke und verfolgte schlaflos die bleiche

Bahn des Mondes. Als er endlich die Lider schloß, war sein Entschluß gefaßt: er ging mit der Truppe. Dieser Leute wußte er sich sicher: sie würden das Geheimnis seines Namens wahren.

Die Arbeit beim Aufstellen des Zeltes, das Ausrollen der Teppiche, das Auspacken der Requisiten, das Tränken und Pflegen der Pferde, alle die tausend Dinge zu tun, die man von ihm verlangte – reine Freude war dies für August. Er vergaß sich in der Erfüllung der einfachen und harten Forderungen des Tages. Von Zeit zu Zeit gestattete er sich das Vergnügen, einer Aufführung beizuwohnen. Mit ganz neuen Augen schätzte er den Mut seiner Reisegenossen ein. Besonders die Partie des Clowns erregte ihn: diese stumme Schaustellung, beredter nun in ihrer Sprache als früher, als er noch selbst aufgetreten war. Er fühlte sich frei, so frei, wie er sich als Mitspieler nie gefühlt hatte. Oh, es war wundervoll, der Rolle ledig zu sein und völlig einzutauchen in die gestaltlose Gleichförmigkeit des Lebens, ein Staubkorn zu werden unter Millionen und dabei ... ja, und dabei immer noch nützlich zu sein und teilzuhaben, inniger vielleicht als jemals zuvor. Welche Verblendung war es gewesen, zu glauben, daß er den Menschen einen großen Dienst erwies, wenn er sie zum Lachen, Schreien und Weinen brachte! Er empfing nicht länger Applaus; vorbei die Stürme des Lachens, die Schmeicheleien! Er empfing Größeres, feinere Nahrung der Seele – Lächeln. Lächeln der

Dankbarkeit? Kein Lächeln der Anerkennung! Er wurde wieder als menschliches Wesen aufgenommen, als ein Wesen, das sich wohl von den anderen unterschied, aber dennoch ihrer Gemeinschaft unauflöslich zugehörte. Das war wie kleine Schlucke eines Labetrunks, die man in Notzeiten erhält und die das Herz köstlicher erfrischen als Fässer Weins in den Jahren des Überflusses.

Unter der Wärme dieses Lächelns, das er wie süße Trauben einer reichen Ernte in die Scheuer fuhr, blühte August Tag für Tag voller und offener auf. Er fühlte sich mit einer unversiegbaren Fülle von Güte begabt, und er war begierig, stets ein übriges zu tun, mehr als man von ihm verlangte. Man konnte niemals zuviel von ihm fordern – so bereit war er nun. Er hatte eine kleine Redewendung für sich gefunden, die er leise vor sich hin murmelte, wenn er an die Arbeit ging: «*À votre service!*» Vor den Tieren schämte er sich nicht, ganz laut zu sprechen; ihnen brauchte nichts verheimlicht zu werden. «*À votre service*», sagte er zur Stute und hängte ihr den Hafersack über den Kopf. Und so zu den Robben, wenn er ihnen die schimmernden Rücken klopfte. Manchmal, wenn er aus dem Zelt hinaustrat in die sternenflimmernde Nacht, hob er die Augen, so als wolle er den Schleier durchbrechen, der unsere Augen vor dem Universum in seiner ganzen Herrlichkeit beschützt, und flüsterte sanft und verehrungsvoll: «*À votre service, Grand Seigneur!*»

Niemals hatte August einen ähnlichen Frieden gekannt, eine ähnliche Befriedigung, eine so tiefe und dauernde Freude. An den Zahltagen trug er seinen mageren Lohn in die Stadt, wanderte von Bude zu Bude, auf der Suche nach Geschenken für die Kinder – und für die Tiere! Ihm selbst genügte eine Fingerspitze voll Tabak.

Aber eines Tages erkrankte der Clown. August saß gerade vor einem Wohnwagen und flickte eine alte Hose, als er die Neuigkeit erfuhr. Er murmelte einige Worte des Mitgefühls und setzte seine Arbeit fort. Dennoch hatte er sogleich begriffen, was diese Nachricht für ihn bedeutete: man würde ihn auffordern, Antoine zu ersetzen, darüber konnte kein Zweifel bestehen. Er mühte sich, die aufsteigende Erregung zu unterdrücken, und versuchte, ruhig und nüchtern über die Antwort nachzudenken, die er geben mußte, wenn die Zeit gekommen war.

Lange wartete er so, aber niemand fragte. Er allein war fähig, Antoines Stelle einzunehmen, dessen war er gewiß. Was hielt sie zurück? Auch als er sich erhob und zwischen den Wagen umherstrich, um sie nachdrücklicher auf seine Anwesenheit aufmerksam zu machen, um ihnen Gelegenheit zur Frage zu geben, wann und wo immer sie es wünschten, machte niemand Anstalten, mit ihm ins Gespräch zu kommen.

Zuletzt entschloß er sich, das Eis selbst zu brechen. Nach alldem, warum nicht? Warum sollte er seine Dienste nicht anbieten? Er fühlte sich stark und voll guten Willens gegen jedermann. Wieder Clown zu sein war ein Geringes für ihn, ein Nichts. Ebensowohl konnte er einen Tisch vorstellen, einen Stuhl, die Leiter, ganz nach Bedarf. Er verlangte keinerlei besondere Vorrechte für sich, er war einer der ihren, er teilte ihre Sorgen und ihr Leid.

«Hören Sie zu», sagte er zum Boss, als er ihn endlich erwischte. «Ich bin bereit, heute nacht an Antoines Stelle zu treten. Das gilt natürlich nur», fügte er hinzu und zögerte einen Augenblick, «wenn Sie nichts Besseres in Aussicht haben.»

«Nein, August, Sie sind der einzige, das wissen Sie genau. Es ist sehr freundlich von Ihnen...»

«Aber?» fragte August knapp und mißtrauisch. «Glauben Sie vielleicht, ich könnte den Clown nicht mehr spielen?»

«Aber nein, nicht das, nicht das! Es ist ja eine große Ehre für uns...»

«Also was dann?» forschte August, fast zitternd vor Eifer und Ungeduld, denn er verstand jetzt, daß es eine Frage des Takts war.

«Die Sache ist die», sagte der Boss in seiner langsamen Weise. «Sehen Sie, wir haben alles unter uns besprochen. Wir wissen, wie es um Sie steht. Nun ja, wenn Sie an Stelle von Antoine einspringen würden... Verflucht noch einmal was rede ich! Stehen Sie nicht herum und schauen Sie mich nicht so an! Hören Sie zu, August, was ich sagen möchte... Tja, das ist – wir möchten keine alten Wunden aufreißen. Verstehen Sie mich?»

August fühlte, wie ihm die Tränen in die Augen stiegen. Er nahm die beiden großen Hände des anderen, hielt sie behutsam in den seinen und floß, ohne ein Wort zu sprechen, über vor Dank.

«Lassen Sie mich heute auftreten», bettelte er. «Ich bin der Ihre, solange Sie wollen – eine Woche, einen Monat, sechs Monate. Es würde mir Spaß machen. Das ist die Wahrheit. Sie werden nicht nein sagen?»

Einige Stunden später saß August vor dem Spiegel und studierte sein Gesicht. Es war eine Gewohnheit von früher her, vor dem Schminken lange auf sein Widerbild zu starren. So bereitete er sich für den Auftritt vor. Er betrachtete seine triste Erscheinung und begann dann plötzlich dieses Gesicht fortzuwischen, ein neues überzustreichen, eines, das alle Welt kannte. Das Gesicht Augusts! Den wahren August kannte freilich niemand, nicht einmal seine Freunde, denn der Ruhm hatte ihn zum Einsiedler gemacht.

Wie er so saß, überwältigt von der Erinnerung an tausend ähnliche Nächte vor dem Spiegel, fing er an zu begreifen, daß jenes abseitige Leben, das er eifersüchtig als sein alleiniges Eigentum bewacht hatte, diese heimliche Existenz, die scheinbar den innersten Kern seines Wesens bewahrte, letzten Endes kein Leben war, daß sie ein Nichts war, nicht einmal

der Schatten eines Lebens. Zu leben begonnen hatte er erst an jenem Tag, an dem er sich der Truppe anschloß, in dem Augenblick, als er zu dienen begann als der Letzte und Einfachste unter ihnen. Jenes heimliche Leben hatte sich verflüchtigt, fast ohne daß er es merkte; er war wieder ein Mensch geworden wie andere, mit allen Narrheiten, Tändeleien und Bedürfnissen den anderen gleich – und er war glücklich geworden auf diese Weise, seine Tage waren erfüllt. An diesem Abend würde er nun nicht als August erscheinen, nicht als der weltberühmte Clown, sondern als Antoine, von dem niemand wußte. Weil ihm weder Namen noch Ruf vorausgingen, nahmen sie Antoine jeden Abend als Selbstverständlichkeit hin. Kein donnernder Applaus begleitete seinen Abgang aus dem Ring der Manege: die Menschen lächelten nachsichtig, und ihre Bewunderung unterschied sich nicht von jener anderen, die sie den überraschenden Kunststücken der Robben entgegenbrachten.

Plötzlich erschütterte Unsicherheit seine Träume. Bisher hatte er dieses heimliche, erfüllte Leben vor der Öffentlichkeit geschützt. Wenn man ihn nun an diesem Abend als August, den Clown August wiedererkannte – welches Unglück! Nie wieder würde er Frieden finden, man würde ihn verfolgen von Stadt zu Stadt, ihn zu Erklärungen zwingen und darauf bestehen, daß er seinen Platz wieder einnehme in der Welt der großen Stars. Unklar fühlte er, daß man ihn sogar des Mordes an August bezichtigen konnte. August war ein Begriff, ein Idol; er gehörte der Welt. Es ließ sich nicht absehen, womit man ihn noch plagen würde...

Man klopfte an die Tür. Einer von der Truppe trat ein, lediglich um nachzusehen, ob alles in Ordnung gehe. Nach einigen beiläufigen Worten erkundigte sich August nach Antoines Befinden.

«Ich hoffe, er fühlt sich besser», sagte er.

«Nein», erwiderte der andere ernst. «Sein Zustand verschlimmert sich, scheint's. Niemand weiß genau, was ihm fehlt. Vielleicht sprechen Sie ein Wort mit ihm, bevor Sie auftreten, ja?»

«Aber gewiß!» sagte August. «Ich bin in fünf Minuten fertig.» Und er verstrich den Rest der Schminke in sein Gesicht.

Das Fieber schüttelte Antoine, als August bei ihm eintrat. Er beugte sich über den Kranken und strich über seine feuchte Hand.

«Armer Alter», murmelte er, «was kann ich für dich tun?»

Antoine hob die Augen und blickte ihn minutenlang mit dem Ausdruck eines Menschen an, der sich selbst im Spiegel sah. Langsam begriff August, was in ihm vorging.

«Ich bin's, August», sagte er sanft.

«Ich weiß», sagte Antoine. «Du bist's... aber ich könnte's auch sein. Keiner merkt den Unterschied. Und du bist ein Großer, und ich war irgendwer.»

«Vor wenigen Augenblicken habe ich dasselbe gedacht», sagte August mit einem aufmerksamen Lächeln. «Merkwürdig – nicht? Ein bißchen Schmiere ins Gesicht, eine Blase, ein Lumpengewand – wie wenig man doch braucht, um nichts aus sich zu machen. Das sind wir alle einmal gewesen – nichts. Und jedermann zur gleichen Zeit. Sie applaudieren nicht uns, sie applaudieren sich selbst. Mein lieber Alter, ich muß gleich gehen, aber laß dir zuerst noch sagen, was ich neulich dazugelernt habe... Du selbst zu sein, nur du selbst, ist eine große Sache. Aber wie macht man das, wie bringt man das fertig? Das ist der schwerste Trick von allen! Das Schwerste, weil es keinerlei Anstrengung von uns verlangt. Du versuchst weder dies zu sein noch das, weder groß noch klein, nicht tüchtig und nicht ungeschickt... Kannst du mir folgen? Du tust, was dir gerade einfällt. Aber mit Anstand, *bien entendu!* Denn nichts ist unwichtig. Nichts! Statt Gelächter und Applaus empfängst du Lächeln. Ein kleines, zufriedenes Lächeln – das ist alles. Aber es ist auch wirklich alles... mehr als du verlangen kannst. Du verrichtest die Dreckarbeit und nimmst sie den anderen von der Schulter. Das macht sie glücklich, aber dich selbst noch viel mehr. Begreifst du? Aber du mußt es ganz unauffällig tun, du darfst sie nicht wissen lassen, welches Vergnügen es dir bereitet. Wenn man dich einmal ertappt, wenn sie dein Geheimnis durchschauen, bist du verloren. Sie werden dich selbst-

süchtig nennen, gleichviel was immer du für sie ge-
tan hast. Du kannst tun, was du willst – buchstäblich
Selbstmord begehen auf offener Szene, solange sie
dich nicht verdächtigen, daß du dich auf ihre Kosten
bereicherst, indem sie dir eine Freude bereiten, die
du dir selbst nicht geben könntest. Nun gut! Ent-
schuldige mich, Antoine, ich wollte keine lange
Rede halten. In irgendeiner Weise bist du's, der mir
heute ein Geschenk macht. Heute kann ich August
sein, indem ich Antoine spiele. Das ist noch besser,
als wirklich Antoine zu sein, *compris?*»

August hielt inne; mit diesem letzten Gedanken
hatte ihn eine große Idee gestreift. Sie eignete sich
nicht zur sofortigen Mitteilung an Antoine. Sie um-
schloß ein Risiko, ein Element der Gefahr. Aber er
wollte nicht daran denken, er mußte sich jetzt beei-
len, die Sache auszuarbeiten... diese Nacht noch,
möglicherweise.

«Hör zu, Antoine», sagte er fast schroff, während
er sich zum Gehen wandte. «Ich werde dich heute
nacht vertreten und vielleicht auch morgen nacht,
aber dann ist es besser, wenn du dich selber rührst.
Ich bin nicht begierig darauf, wieder Clown zu werden, verstehst du? Morgen früh will ich dich besu-
chen. Dann werde ich dir mehr sagen – und es wird
dich erfrischen!»

Er machte eine Pause und räusperte sich.

«Du wolltest immer eine große, feine Nummer
sein, nicht wahr? Erinnere dich! In mir wächst ein

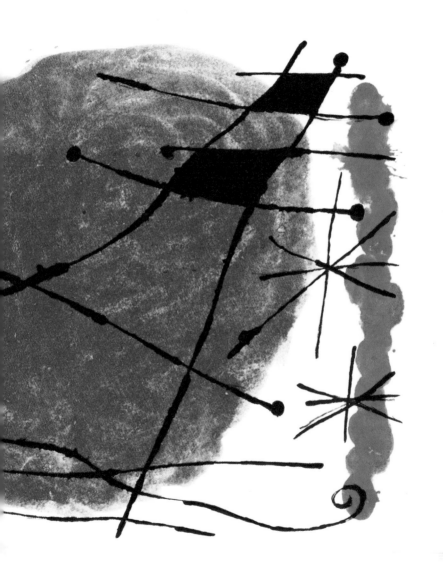

Gedanke: er ist zu deinem Nutzen. Soviel für heute! Schlaf gut!»

Er puffte Antoine in die Schulter, als wollte er ihn zur Gesundheit hinstoßen. An der Tür fing er noch den schwachen Schimmer eines Lächelns auf, das über Antoines Gesicht huschte. Er stahl sich auf den Zehenspitzen davon.

Mit langen Schritten strebte er dem Zelt zu und summte ein Lied vor sich hin. Die Idee, die ihm vor wenigen Augenblicken zugefallen war, gewann Gestalt.

Kaum daß er seine Nummer erwarten konnte, so sehr verlangte es ihn, mit seinem Plan ans Ziel zu kommen. «Diesen Abend», sagte er zu sich selbst, als er sich fertig machte, «werde ich eine Vorstellung geben, wie sie noch niemand gesehen hat. Wartet nur, meine Lieben, wartet, bis sich August ins Zeug legt.»

Er steigerte sich in solche Raserei und Ungeduld, daß er wie eine närrische Ziege umhersprang, als er, begleitet vom dünnen Quäken der Violine, in das Scheinwerferlicht taumelte. Sobald er die Sägespäne unter seinen Füßen spürte, wurde sein Spiel reine Improvisation. Nicht einer dieser wilden, sinnlosen Luftsprünge war von ihm vorgesehen, geschweige denn eingeübt worden. Er hatte sich selbst von der Tafel gewischt und schrieb darauf den Namen Antoines in unauslöschlichen Lettern. Wenn Antoine nur selbst hier gewesen wäre, um seine Geburt als Weltstar mitzuerleben!

In wenigen Augenblicken vergewisserte sich August, daß er sein Publikum gepackt hatte und in der Hand hielt. Dabei war er noch reichlich steif, noch nicht gelockert.

«Wartet, wartet!» muffelte er zwischen den Zähnen, während er sich von einer Seite auf die andere warf. «Das ist noch gar nichts, das ist nur der Anfang von Antoines Geburt. Er hat eben erst begonnen, die Füßchen zu regen.»

Nach diesem einleitenden Sketch sah er sich von einer Gruppe begeisterter Leute umringt. Unter ihnen war der Boss.

«Sind Sie toll geworden, August?» waren seine ersten Worte. «Wollen Sie Antoine ruinieren?»

«Nur keine Angst!» beruhigte ihn August, und die Freude schoß ihm warm ins Gesicht. «Ihr werdet sehen, ich *mache* Antoine. Nur Geduld! Ich versichere euch, alles wird gut.»

«Aber es ist schon zu gut, das ist es ja gerade! Nach einer solchen Vorstellung ist Antoine erledigt.»

Den Streit auszutragen blieb keine Zeit. Die Manege mußte für die Trapezkünstler freigemacht werden. Die Truppe war klein: jeder mußte Hand anlegen.

Vor dem nächsten Auftritt des Clowns gab es langen Applaus, der sich zu Zurufen steigerte, als August seinen Kopf zwischen den Vorhängen zeigte.

«Antoine, Antoine!» schrien sie, stampften mit

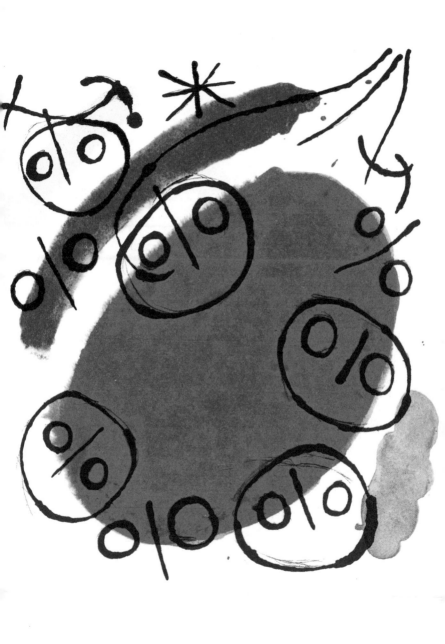

den Füßen, pfiffen und klatschten vor Freude in die Hände. «Antoine soll kommen! Wir rufen Antoine!»

Antoine pflegte bei diesem Auftritt eine kleine Solonummer zu zeigen, einen abgedroschenen Sketch, aus dem schon vor Jahren der letzte Hauch schöpferischen Atems entschwunden war. Abend für Abend hatte August diese Szene mitangesehen und überlegt, wie er an Antoines Stelle die Tricks ändern und ansetzen würde. Nun war der Augenblick gekommen, die Gags auszuspielen, die er so oft bis in den Schlaf hinein spielerisch in Gedanken geübt. Er hatte die starke Empfindung, nun einem Meister zu gleichen, der das Werk eines nachlässigen Schülers vollendet, die letzten Glanzlichter aufsetzt. Vom Gegenstand der Darstellung abgesehen blieb nichts vom Original erhalten. Man änderte ein Winziges hier, ein Winziges dort, und am Ende stand das neue Werk.

August ging mit dem Eifer eines Irren an die Arbeit. Hier war nichts zu verlieren. Im Gegenteil: alles war zu gewinnen. Jeder Dreh und Kniff bedeutete neues Leben für Antoine. Während er die Nummer Akt für Akt durchfeilte und vollendete, notierte er im Gedächtnis für Antoine die Tricks, mit denen er die Wirkungen hervorbrachte. Jeden seiner Sprünge durchlebte und durchdachte er dreifach: als der Meisterclown August, August als Antoine und Antoine als August. Und über diesen dreien schwebte als Wesen, das sich mit der Zeit als lebendig erweisen sollte, Antoine als Antoine. Ein neugeborener Antoine, gewiß, ein Antoine *in excelsis*. Je mehr er über diesen Antoine nachdachte (und es war erstaunlich, wie klar er sich selbst in dieser Verwandlung beobachten konnte), desto mehr Aufmerksamkeit schenkte er den vermutlichen Grenzen und Fähigkeiten des neugeschaffenen Wesens. Es war Antoine, an den er fortwährend dachte, nicht August. August war tot. Er empfand nicht den leisesten Wunsch, diesen August als weltberühmten Clown Antoine wiederauferstehen zu sehen. Sein einziges Bemühen war, Antoine so berühmt zu machen, daß nie wieder die Rede von August sein würde.

Am nächsten Morgen waren die Zeitungen voll des Lobes für Antoine. August hatte, und das verstand sich von selbst, dem Boss noch am selben Abend von seinem Plan Mitteilung gemacht. Es war vereinbart, daß alle Vorkehrungen getroffen wurden, das Geheimnis zu wahren. Da niemand, außer den Mitgliedern der Truppe, von Antoines Krankheit wußte und Antoine selbst die glorreiche Zukunft, die man ihm zu bereiten gedachte, nicht einmal ahnte, waren die Aussichten ermutigend.

August konnte, wie sich denken läßt, den versprochenen Besuch bei Antoine kaum erwarten. Er war entschlossen, ihn nicht sofort mit den Zeitungsberichten zu überfallen, er wollte ihm lediglich zu wissen geben, was er in den wenigen Tagen von Antoines Unpäßlichkeit zu erreichen hoffte. Zuerst

48

mußte Antoine gewonnen werden; dann erst durfte man den Kranken mit dem vollen Ausmaß des Erfolgs bekanntmachen. Sonst lief man Gefahr, Antoine mit der fertigen Tatsache einzuschüchtern. All dies wiederholte sich August, Punkt für Punkt, ehe er den Weg zur Antoines Wohnwagen einschlug. Nicht eine Sekunde überlegte er, daß sein Vorschlag die Möglichkeiten Antoines übersteigen könnte. Er bezwang sich und wartete den Mittag heran, in der Hoffnung, dann Antoine in der rechten Stimmung zu finden. Als er sich auf den Weg machte, war Jubel in ihm. Antoine würde sich überzeugen lassen, daß er eine rechtmäßige Erbschaft antrat.

«Nach allem», sagte er zu sich selbst, «ist es nur ein kleiner Stoß, den ich ihm gebe. Das Leben ist voll kleiner Schwindeleien, man muß sie sich zunutze machen. Keiner schafft es allein, ohne Hilfe.»

Mit diesem Zuspruch ging er los.

«Es ist weder Betrug noch Diebstahl an Antoine», folgerte er. «Er hat sich immer gewünscht, berühmt zu sein, jetzt *ist* er berühmt! Oder er wird es spätestens in einer Woche. Antoine wird Antoine sein... und noch mehr. Ein kleiner Zufall zur rechten Zeit ist alles, was man braucht, ein kleiner Dreh des Schicksals, ein Anstoß von irgendwo, und die Sache ist gemacht. – Du stolperst ins Scheinwerferlicht. Mit allen vieren zugleich.»

Er dachte an seinen eigenen schnellen Aufstieg zum Ruhm. Was hatte er, August, damit zu tun? Was man Genieblitz nannte, es war reiner Zufall gewesen. Wie wenig verstand das Publikum! Wieviel begriff es von den Winkelzügen des Schicksals! Ein Clown ist ein Bauer auf dem Schachbrett des Schicksals.

Das Leben in der Arena war ein stummes Schauspiel, eine Pantomime mit Stürzen, Ohrfeigen, Fußtritten – ein endloses Stoßen und Auffangen von Stößen, Treten und Getretenwerden. Und bei dieser schmachvollen und erniedrigenden Rigolade gewann man die Gunst des Publikums. «Der beliebte Clown!» Seine besondere Aufgabe war, die Irrtümer und Sinnlosigkeiten, allen Wahnsinn und alle Mißverständnisse, die wie Seuchen die Menschheit quälen, wiederzuerwecken und darzustellen. Die Albernheit selbst, Gestalt geworden in der Manege, das begriff auch der dümmste Einfaltspinsel. Nichts zu verstehen, wo alles klar am Tage liegt, den Trick nicht zu erfassen, wenn er auch tausendmal vorgespielt wird, wie ein Blinder zu tappen, wo die Richtung überall deutlich angezeigt ist, immerfort an der Tür zu rütteln, obwohl mit großen Lettern darauf geschrieben steht: «Gefahr», mit dem Kopf voran in den Spiegel zu laufen, statt ihn zu umgehen, von der falschen Seite in das Gewehr zu schauen – ein geladenes Gewehr –, niemals würde das Publikum aufhören, an diesen Sinnlosigkeiten seinen Gefallen zu finden, denn seit Jahrtausenden täuschten sich die Menschen über den richtigen Weg, endete ihr Suchen und Fragen in derselben Sackgasse. Dem Meister der Albernheit stand die Zeit in ihrer Gänze als Repertoire zur Verfügung. Er streckte die Waffen nur vor dem Antlitz der Ewigkeit ...

Mitten in diesen fremdartigen Gedanken stieß er auf Antoines Wohnwagen. Er stutzte, ohne zu wissen warum. Der Boss kam ihm entgegen; er kam offensichtlich geradewegs von Antoines Krankenbett. Sein Erstaunen wuchs, als ihm der Boss mit erhobener Hand bedeutete, er möge stehenbleiben, wo er war. Der Ausdruck seines Gesichts erweckte in August ein Gefühl des Unbehagens, des Alarms. Er verharrte unterwürfig und wartete, daß der andere zu sprechen begänne.

Wenige Schritte vor August hob der Mann beide Arme mit einer Geste der Verzweiflung und Resignation. August brauchte kein Wort mehr zu hören, um zu wissen, was ihm bevorstand.

«Aber wann ist es geschehen?» fragte er, nachdem sie einige Schritte Seite an Seite gegangen waren.

«Vor ein paar Minuten. Ganz plötzlich. In meinen Armen.»

«Ich verstehe nicht», murmelte August. «Was *war* es, das ihn tötete? Er war nicht so schlecht beisammen vergangene Nacht, als ich mit ihm sprach.»

«Das ist es ja gerade», sagte der andere.

Etwas in seiner Stimme ließ August zurückzucken.

«Wollen Sie damit sagen ...» Er brach ab. Es war

zu unerhört, er wies den Gedanken von sich. Aber im nächsten Augenblick sprach er schon wieder davon. «Wollen Sie sagen», seine Stimme zitterte von neuem, «daß er davon wußte...»

«Eben das.»

Wiederum zuckte August zusammen.

«Wenn ich ganz offen meine Meinung sagen soll», fuhr der Boss in seiner rauhen Art fort, «würde ich sagen, daß er an gebrochenem Herzen gestorben ist.»

Über diesen Worten hielten beide jäh den Schritt an.

«Hören Sie!» sagte der Boss. «Es ist nicht Ihre Schuld. Nehmen Sie sich's nicht so zu Herzen. Ich weiß, wir alle wissen, daß Sie unschuldig sind. Tatsache ist: Antoine wäre nie ein großer Clown geworden. Er hat es schon vor langer Zeit aufgegeben.»

Der Boss murmelte einige unverständliche Worte und seufzte.

«Die Frage ist: Wie werden wir den Leuten diese Vorstellung erklären! Es wird schwerfallen, ihnen die Wahrheit zu verbergen, nunmehr, Sie verstehen... Nicht wahr? Wir haben in keiner Weise mit seinem plötzlichen Tod gerechnet...»

Eine Pause entstand, dann sagte August leise: «Es wird gut sein, wenn ich eine Weile mit mir selbst allein bleibe, glauben Sie nicht?»

«Recht so!» bekräftigte der Boss. «Bedenken Sie alles in Ruhe. Es ist noch Zeit...» Er fügte nicht hinzu wofür.

Traurig und verstört wanderte August fort in der Richtung zur Stadt. Eine lange Weile bildete sich kein einziger Gedanke in seinem Gehirn, nur dumpfe, träge Pein durchdrang alle Glieder seines Körpers. Schließlich fand er einen abgesonderten Platz an der Rampe einer Kaffeehaus-Terrasse, setzte sich und bestellte zu trinken. Nein, mit dieser Möglichkeit hatte er gewiß nicht gerechnet. Das Schicksal hatte noch einmal zugeschlagen. Eines war klar – entweder er mußte wieder August werden oder Antoine. Er konnte nicht länger namenlos bleiben. Er mühte sich, an Antoine zu denken; an jenen Antoine, den er in der vorangegangenen Nacht geschaffen hatte. Würde er fähig sein, ihn wiederzuerwecken an diesem Abend, mit demselben Feuer, derselben Freude an seiner Schöpfung? Jenen anderen Antoine, der kalt und tot im Wagen lag, vergaß er ganz dabei. Ohne sich davon Rechnung abzulegen, war er nicht nur in seine Fußstapfen getreten, sondern hatte selbst seine Schuhe angezogen. Er wiederholte die Szene, zerlegte sie, spaltete sie in Stücke, besserte sie mit einigen Flicken aus, vervollkommnete sie hier und dort... geriet vom Hundertsten ins Tausendste, von einer Wendung zur andern, von einer Nacht zur andern, von Stadt zu Stadt. Und dann kam er plötzlich wieder zu sich. Mit einem Ruck setzte er sich auf seinem Sitz gerade zurecht, begann ernstlich mit sich zu reden.

«Du willst also wieder Clown werden, ist es so? Hast davon noch nicht genug gehabt, he? August hast du ausgetilgt, Antoine ermordet... was weiter? Vor zwei Tagen noch warst du ein glücklicher Mann, ein freier Mann. Nun hängst du in der eigenen Schlinge, ein Mörder obendrein. Und du glaubst allen Ernstes – oder etwa nicht? –, daß du mit deinem schlechten Gewissen die Leute noch zum Lachen bringen wirst? Das geht wohl ein bißchen zu weit!»

August schlug mit der Faust auf die Marmorplatte des Tischs, als wolle er sich selbst von der Ernsthaftigkeit seiner Worte überzeugen.

«Eine große Vorstellung letzte Nacht! Und warum? Weil niemand in dem Mann, der sie großmachte, August vermutet hat. Es war das Talent, das Genie, dem sie applaudierten. Keiner hatte eine Ahnung. Sie sahen die Vollkommenheit. Es war ein voller Triumph. *Quod erat demonstrandum!*»

Noch einmal fiel er sich selbst in die Zügel wie einem Pferd.

«*Quod erat demonstrandum?* Was wolltest du sagen? Ach ja... August war also begierig, Antoines Platz einzunehmen. Keinen Pfifferling kümmerte er sich darum, ob Antoine dabei groß wurde oder nicht. Ja oder nein? Er wollte nur Gewißheit erlangen, daß sein Ruf nicht unbegründet war. Wie ein Fisch schnappte er nach dem Köder.»

Bah! August spuckte vor Abscheu aus. Seine

Kehle war vor Erregung ausgedorrt. Er klatschte in die Hände und bestellte ein neues Glas.

«Mein Gott», nahm er das Selbstgespräch wieder auf, nachdem er seinen Gaumen angefeuchtet hatte, «ist es vorstellbar, daß sich ein Mann selbst solche Schlingen legt! Heute glücklich, morgen bis zum Kragen im Sumpf. Was für ein Narr! Was bin ich für ein Narr!»

Einen Augenblick lang vermochte er ganz nüchtern zu denken.

«Gut! Eines versteh ich nun – mein Glück war wirklich, aber ohne Grundlage. Ich muß es wiedergewinnen, aber diesmal auf redliche Art. Und ich muß es mit beiden Händen festhalten wie ein kostbares Kleinod. Ich muß lernen, als August glücklich zu sein, als der Clown, der ich bin.»

Er trank einen Schluck Wein und schüttelte sich dann wie ein nasser Hund.

«Möglicherweise ist dies die letzte Gelegenheit, die sich bietet. Ich steige noch einmal aus dem Nichts empor.»

Über das fing er an, sich einen neuen Namen auszudenken. Dieses Spiel führte ihn weit fort.

«Gewiß», sagte er und vergaß den Namen schon wieder, den er eben für sich bestimmt hatte, «ich werde eine neue Nummer ausbauen, eine völlig neue Sache. Wenn es mich auch nicht glücklich macht, wird es mich doch frisch erhalten. Vielleicht Südamerika . . .»

Sein Entschluß zum Neubeginn war so stark, daß er beinahe im Galopp zum Rummelplatz zurückkehrte. Sofort begab er sich auf die Suche nach dem Boss.

«Es ist beschlossen», rief er atemlos. «Ich gehe fort, weit fort, dorthin, wo mich niemand kennt. Ich werde noch einmal ganz von vorn beginnen.»

«Aber warum?» schrie der dicke Mann. «Warum wollen Sie von vorn beginnen, wenn Sie's hier schon zu großem Ansehen gebracht haben?»

«Sie werden es nicht verstehen, aber ich will es Ihnen trotzdem sagen. *Weil ich glücklich sein möchte diesmal.*»

«*Glücklich?* Ich verstehe nichts. Warum glücklich?»

«Weil es gewöhnlich für einen Clown das Glück ist, ein anderer zu sein als er selbst.»

«Ich verstehe kein Wort... Hören Sie zu, August...»

«Einen Augenblick», bat August händeringend. «Was macht die Leute lachen und schreien, wenn sie uns sehen?»

«Lieber, alter Junge! Was hat das alles miteinander zu tun? Das sind Haarspaltereien. Laß uns vernünftig reden. Kehren wir auf den Boden der Wirklichkeit zurück.»

«Aber das zu tun, bin ich eben dabei», erklärte August feierlich. «Wirklichkeit! Das ist das rechte Wort dafür. Nun weiß ich, wer ich bin, was ich bin und was ich tun muß. *Das ist die Wirklichkeit.* Was Sie Wirklichkeit nennen, ist Sägemehl, es bröckelt weg, schlüpft durch die Finger.»

«Mein lieber August», begann der Boss wieder, als spreche er zu einem Verlorenen. «Sie haben zuviel nachgedacht. Keine voreiligen Entscheidungen. Kommen Sie...»

«Nein», sagte August fest. «Ich brauche keinen Trost, keinen Ratschlag. Mein Entschluß ist gefaßt.» Er hob die Hand zum Abschied.

«Wie Sie glauben», sagte der Boss und zuckte die Schultern. «Also – leben Sie wohl! So meinten Sie's doch?»

Noch einmal machte er sich auf den Weg in die Welt, entschlossen, diesmal ganz in ihr aufzugehen. Als er sich der Stadt näherte, fiel ihm ein, daß er nur wenige Sous in der Tasche hatte. In wenigen Stunden würde er hungern, die Kälte würde kommen, und er würde sich wie die Tiere des Feldes zusammenrollen und liegen und die ersten Sonnenstrahlen erwarten. Warum hatte er sich entschlossen, Straße für Straße bis zu ihrem Ende zu trampen? Er wußte es nicht. Hätte er nicht ebensogut seine Kräfte sparen können?

«Und wenn ich eines Tages wirklich nach Südamerika aufbreche?»

Er hatte wieder laut mit sich selbst zu sprechen begonnen.

«Es kann Jahre dauern. Und welche Sprache soll

ich dort sprechen? Und warum sollten sie mich nehmen, mich, einen Fremden und Unbekannten? Wer weiß, ob sie überhaupt einen Zirkus haben da unten? Und wenn, werden sie ihre eigenen Clowns haben – in ihrer Sprache.» In einem kleinen Park angekommen, setzte er sich auf eine Bank.

«Das muß noch genauer bedacht werden», warnte er sich selbst. «Man geht nicht so einfach nach Südamerika. Ich bin kein Albatros, bei Gott! Ich bin August, ein Mann mit zarten Füßen und einem Magen, der gefüllt sein möchte.»

Eine nach der anderen begann er die menschlichen Eigentümlichkeiten aufzuzählen, die ihn, August, von den Vögeln der Luft und den Tieren des Abgrunds sonderten. Dieses Nachsinnen endete schließlich in einer langen Betrachtung über jene beiden Eigentümlichkeiten, die am deutlichsten die Welt des Menschen vom Bereich des Tierischen scheiden – Lachen und Weinen. Seltsam, dachte er bei sich selbst, daß er, der doch in diesem Gebiet beheimatet war, darüber Spekulationen anstellte wie ein Schulbub.

«Aber ich bin kein Albatros!» Dieser Gedanke – zugegeben, nicht gerade der glänzendsten einer – kam immer wieder, während er die Fragen nach vorwärts und rückwärts wälzte.

Aber wenn sie auch weder originell noch glänzend war, so war sie doch bequem und beruhigend, diese Idee, daß er sich auch während des ärgsten Saltos seiner Einbildungskraft nie für einen Albatros halten würde.

Südamerika – was für ein Unsinn! Fraglich war nicht die Richtung, in der er aufbrechen – und wie er dorthin gelangen sollte, fraglicher war... Er versuchte, es sich selbst in sehr, sehr einfachen Worten zu erklären. War es nicht vielleicht so, daß er sich sehr wohl befand, so wie er war... ohne sich zu verkleinern, ohne sich zu vergrößern? Er hatte seine eigenen Grenzen überschritten, das war sein Irrtum gewesen. Das Lachen der Menschen genügte ihm nicht, er wollte ihnen die Freude schenken. Freude ist eine Gabe Gottes. Hatte er dies nicht erkannt in der Zeit seines Verzichts – als er annahm, was ihm geboten wurde?

August fühlte, daß er mit seinen Überlegungen ins Ungewisse geriet. Seine wahre Tragödie, merkte er nun, lag darin, daß er unfähig war, seine Kenntnis einer anderen Welt, einer Welt jenseits Unwissenheit und Vergänglichkeit, jenseits von Lachen und Weinen, den anderen mitzuteilen. Diese Grenze war es, die den Clown aus ihm machte – Gottes eigenen Clown, denn auf Erden war niemand, dem er diesen Zwiespalt begreiflich machen konnte.

Und in diesem Augenblick überkam es ihn plötzlich – ganz einfach ging das alles! –, daß niemand zu sein, oder jemand oder jedermann zu sein, ihn keineswegs daran hinderte, er selbst zu sein...

Wenn er schon ein Clown war, dann ganz und gar,

durch und durch, von Grund auf – vom morgendlichen Erwachen bis zum Zurücksinken in den Schlaf. Clown zu jeder Zeit, für Lohn oder aus reiner Freude am Dasein. So sehr, so unwandelbar war er von der Weisheit dieses Gedankens überzeugt, daß es ihn gelüstete, ohne Verzug zu beginnen – ohne Schminke, ohne Kostüm, ja selbst ohne die Begleitung jener alten, quäkenden Violine. So ausschließlich würde er August sein, daß nichts übrigblieb als die Wahrheit, die nun in ihm wie Feuer brannte:

Einmal noch schloß er die Augen, um hinabzusteigen in die Dunkelheiten. Lange blieb er so, ruhig und friedevoll ging der Atem durch seine Brust, durch die Lagerstatt seiner Seele. Als er die Augen wieder öffnete, sah er eine Welt, von der alle Schleier abgefallen waren. Es war die Welt, die er immer in seinem Herzen getragen hatte, immer bereit, Gestalt zu werden, die aber erst zu leben beginnen konnte, wenn man sich mit ihr vereinigte, wenn ihr Puls gleich wurde dem Schlagen des eigenen Herzens.

August war so gerührt, daß er seinen Augen nicht traute. Er rieb sie mit dem Handrücken, nur um sich zu überzeugen, daß sie noch feucht waren von den Tränen der reinen Freude, die er vergossen hatte, ohne es zu wissen. Kerzengerade saß er auf der Bank und seine Augen starrten in die Ferne. Sie mußten erst an das Licht der Vision gewöhnt werden. Aus der Tiefe seiner Seele stiegen, unablässiges Gemurmel, Worte des Dankes.

Er stand auf, gerade als die Sonne seine Bank mit einer letzten rötlichen Flut von Gold überschwemmte. Eine Woge von Kraft und Sehnsucht schwoll in seinen Adern. Wie ein Neugeborener wagte er einige Schritte in das unbeschreibbare Licht. Ein Vogel, der zum erstenmal seine Flügel spannt, so breitete er seine Arme aus zu einer allumfassenden Umarmung.

Nun schwand die Erde hin in jenes tiefe Violett, das die Dämmerung verkündet. August taumelte vor Entzücken.

«Endlich! Endlich!» jubelte er, aber in Wirklichkeit war dieser Jubel nur ein schwacher Widerhall der unermeßlichen Freude, die ihn bewegte.

Ein Mann kam auf ihn zu. Ein Mann in Uniform, mit einem Knüppel bewaffnet. August erschien er als Engel der Erlösung. Er lief ihm entgegen, um sich in die Arme des Erlösers zu retten, da fiel eine Wolke von Dunkelheit über ihn mit der Härte eines Hammerschlags. Lautlos stürzte er dem Wachmann zu Füßen.

Zwei Fußgänger, die den Vorfall mitangesehen hatten, eilten herbei. Sie knieten nieder und wälzten August auf den Rücken. Zu ihrem Staunen lächelte er. Es war ein breites, seraphisches Lächeln, aus dem Blut sprudelte und rieselte. Seine Augen waren weit offen und starrten mit untrübbarer Unschuld auf die dünne Schale des Mondes, die gerade jetzt am Himmel sichtbar wurde.

Epilog

Von allen Erzählungen, die ich jemals geschrieben habe, ist dies die eigenartigste. Ich habe sie eigens für Fernand Léger und seinen Zyklus von Zirkus- und Clownbildern verfaßt.

Nachdem ich diese Einladung angenommen hatte, vergingen Monate, bevor ich den ersten Satz zu Papier brachte. Obwohl mir völlige Freiheit belassen wurde, fühlte ich mich gehemmt. Ich hatte nie zuvor eine Erzählung im Auftrag geschrieben.

Meine Gedanken kreisten wie besessen um die Namen: Rouault, Miró, Chagall, Max Jacob, Seurat. Fast hätte ich lieber die Illustrationen gemacht als den Text. Ich hatte schon früher einige Clownsbilder gemalt, eines davon hieß *Cirque Médrano*. Einer dieser Clowns zeigte starke Ähnlichkeit mit Chagall, wurde mir berichtet – ich habe Chagall persönlich niemals getroffen noch eine Fotografie von ihm gesehen.

Während der Bemühungen um den Beginn fiel mir ein kleines Buch von Wallace Fowlie in die Hand, das einen scharfgeschliffenen Essay über die Clownsbilder von Rouault enthält. Ich vertiefte mich in Rouaults Leben und Werk, das mich stark beeinflußt hat, und sah mich selbst als den Clown, der ich bin, der ich immer war. Ich dachte an meine Leidenschaft für den Zirkus, besonders für den *Cirque Intime*, und wie alle diese Erfahrungen als Zuschauer und stummer Teilhaber am Spiel tief in meinem Bewußtsein begraben liegen mußten. Ich erinnerte mich, wie ich bei meiner Schulentlassung auf die Frage, was ich werden wollte, geantwortet hatte – «Ein Clown». Ich rief mir ins Gedächtnis, wie viele meiner alten Freude in ihrem Benehmen wie Clowns waren – und es waren jene, die ich am meisten liebte. Und dann entdeckte ich zu meiner Überraschung, daß meine engsten Freunde mich selbst als Clown sahen.

Und plötzlich erkannte ich, was für einen gewaltigen Eindruck der Titel von Wallace Fowlies Buch (des ersten, das ich von ihm gelesen) auf mich gemacht hatte. Es hieß: *Clowns and Angels.* Bei Balzac, in *Louis Lambert,* hatte ich von Engeln gelesen, und in den zahlreichen Abwandlungen des Themas durch Fowlie gewann ich neue Einsichten in die Rolle des Clowns. Clowns und Engel stehen zueinander in gottgewollter Entsprechung.

Hatte ich im übrigen nicht selbst in meinen Büchern von August Angst und Guy le Crèvecœur erzählt? Wer waren sie, diese beiden verängstigten, betrogenen, verzweifelten Seelen, wenn nicht ich selbst?

Und außerdem... das erfolgreichste Bild, das ich jemals malte, war der Kopf eines Clowns, dem ich zwei Münder gab, einen für die Freude und einen für das Leid. Der Mund der Freude war scharlachrot – es war ein singender Mund. (Dabei fällt mir auf: ich habe seither nie wieder gesungen.)

Mittlerweile erhielt ich einige Skizzen von Léger. Eine davon zeigte den Kopf eines Pferdes. Ich legte sie in ein Schubfach, vergaß sie und begann zu schreiben. Erst als ich die Erzählung beendet hatte, merkte ich, woher ich das Pferd genommen hatte. Die Leiter, versteht sich, stammt von Miró, ebenso wahrscheinlich der Mond. (*Hund, der den Mond anbellt*, hieß das erste Bild, das ich von Miró sah.)

Ich ging dann von mir selbst aus, in der festen Überzeugung, daß ich alles Wissenswerte über die Clowns und den Zirkus in mir trug. Ich schrieb Zeile für Zeile und schritt wie ein Blinder fort, ohne vorauszuahnen, was in der nächsten stehen würde. Ich hatte mich selbst – die Leiter und das Pferd, die ich unbewußt gestohlen hatte. Gesellschaft leisteten mir die Dichter und Maler, die ich bewunderte – Rouault, Miró, Chagall, Max Jacob, Seurat. Seltsamerweise sind alle diese Künstler Dichter und Maler zugleich. Mit jedem von ihnen war ich zutiefst verbunden.

Der Clown ist ein handelnder Dichter. Er ist selbst die Geschichte, die er spielt. Es ist immer die gleiche Geschichte – Verehrung, Aufopferung, Kreuzigung. *A Rosy Crucifixion*, meine ich.

Der einzige Teil der Erzählung, der mir Schwierigkeiten bereitete, waren die letzten Zeilen, die ich verschiedene Male neu schrieb. «Es gibt ein Licht, das tötet», sagt meines Wissens Balzac irgendwo. Ich wünschte mir, daß mein Held August vergehen möge, wie ein Licht sich von uns fortbewegt. Aber nicht in den Tod! Sein Abgang sollte wie ein Licht den Weg erhellen. Ich sah ihn nicht als Ende, vielmehr als Beginn. Wenn August sich selber findet, beginnt das Leben – und nicht nur für August, sondern für die ganze Menschheit.

Möge niemand glauben, daß ich mir diese Geschichte ausgedacht hätte! Ich habe sie lediglich erzählt, wie ich sie in mir fühlte, Stück für Stück, wie sie sich mir selbst offenbarten.

Zweifellos ist es die seltsamste Geschichte meines Lebens. Sie ist kein surrealistisches Dokument, dies ganz gewiß nicht. Der Prozeß des Schreibens mag ein surrealistischer gewesen sein, aber das besagt nur, daß die Surrealisten die wahre schöpferische Methode des Erzählens wiederentdeckt haben. Nein, viel mehr als andere Geschichten, die ich auf Tatsachen und Erfahrung gegründet habe, ist diese eine wahre Geschichte. Mein einziges Ziel beim Schreiben war, die Wahrheit zu sagen, so wie ich sie kannte. Vordem waren alle meine Gestalten wirklich gewesen, aus dem Leben genommen, meinem eigenen Leben. August ist einzigartig unter ihnen: er fiel mir vom Himmel zu. Aber was sind diese Himmel, die uns umgeben und einschließen, wenn nicht die

Wirklichkeit selbst? Wahrhaftig, wir erfinden nichts. Wir borgen aus dem Überfluß und schaffen ihn nach. Wir enthüllen und entdecken. Alles ward uns gegeben, wie die Mystiker sagen. Wir brauchen nur die Augen und die Herzen zu öffnen, um eins zu werden mit dem Seienden.

Der Clown zieht mich besonders deswegen an (es war mir nicht immer bewußt), weil er von der Welt durch Gelächter getrennt ist. Dieses sein Gelächter hat nichts Homerisches an sich. Es ist ein stilles Lachen, das wir freudeleer nennen. Der Clown lehrt uns, wie wir über uns selbst lachen sollen. Und dieses unser Lachen wird aus Tränen geboren.

Freude ist wie ein Strom: sie fließt ohne Unterlaß. Das ist nach meinem Glauben die Botschaft, die der Clown uns zu überbringen versucht, daß wir teilhaben sollen am unaufhörlichen Fluß, der endlosen Bewegtheit, daß wir nicht anhalten sollen, um nachzudenken, zu vergleichen, zu zergliedern, zu besitzen, sondern fließen immerfort, ohne Ende wie Musik. Das ist der Gewinn im Verzicht, und der Clown schafft das Sinnbild dafür. An uns ist es, das Symbol in Wirklichkeit zu verwandeln.

Zu keiner Zeit der menschlichen Geschichte war die Welt so voller Leiden und Angst. Hie und da treffen wir jedoch Menschen, die unberührt und unbefleckt blieben vom allgemeinen Elend. Es sind keine herzlosen Geschöpfe, weit davon entfernt! Sie haben die Freiheit gewonnen. Die Welt erscheint ihnen anders als uns. Sie sehen mit anderen Augen. Wir sagen von ihnen, daß sie der Welt gestorben sind. Sie erleben den Augenblick in seiner vollen Größe, sie strahlen, und dieses Strahlen rund um sie ist ein immerwährendes Lied der Freude.

Der Zirkus öffnet eine winzige Lücke in der Arena der Vergessenheit. Für eine kurze Spanne dürfen wir uns verlieren, uns auflösen in Wunder und Seligkeit, vom Geheimnis verwandelt. Wir tauchen wieder empor zur Verwirrung, betrübt und entsetzt vom Alltagsanblick der Welt. Aber diese alltägliche Welt, die wir allzugut zu kennen meinen, es ist dieselbe, die einzige Welt, eine Welt voll Magie, voll unausschöpflichen Zaubers. Wie der Clown führen wir unsere Bewegungen aus, täuschen wir vor, bemühen wir uns, das große Ereignis hinauszuschieben. Wir sterben in den Wehen unserer Geburt. Wir sind niemals gewesen, wir sind auch jetzt nicht. Wir sind immerzu im Werden, immerzu einsam und losgelöst. Für immer außen.

Das ist das Bild von August Angst, alias Guy le Crèvecœur – oder das alltägliche Gesicht der Welt mit zwei Mündern. August ist von anderer Art. Vielleicht habe ich sein Porträt nicht klar genug gezeichnet. Aber er lebt, und sei es aus dem einzigen Grunde, weil ich ihn geschaffen habe. Er kam vom Himmel und kehrt dorthin zurück. Er ist nicht untergegangen, er ist nicht verloren. Noch wird er vergessen sein. Vor wenigen Tagen sprach ich mit einem

Maler, den ich kenne, von den Gestaltungen, die uns Seurat hinterlassen hat. Ich sagte, daß sie dort wurzeln, wo er sie geschaffen hat – für die Ewigkeit. Wie dankbar bin ich, daß ich mit ihnen leben durfte – in der Grande Jatte, im Médrano und anderswo im Geiste. Nichts an ihnen ist trügerisch. Ihre Realität ist unaustilgbar. Sie leben im Licht ihrer Sonne, in einer Harmonie von Form und Rhythmus, die reine Melodie ist. Und dies gilt für die Clowns von Rouault, die Engel von Chagall, die Leiter und den Mond von Miró, für seine ganze Menagerie. Und es gilt für Max Jacob, der nie aufhörte, ein Clown zu sein, nicht einmal, als er Gott gefunden hatte. Im Wort, im Bild, in der Tat haben alle diese gesegneten Seelen, die mich auf meinem Weg begleiteten, für die unvergängliche Wirklichkeit ihrer Vision gezeugt. Ihre tägliche Welt wird eines Tages die unsere sein. Sie ist es schon heute, nur unsere Herzen sind noch zu schwach, sie in Besitz zu nehmen.

Henry Miller
Big Sur, Kalifornien
Januar 1948

Veröffentlicht im Rowohlt Taschenbuch Verlag GmbH,
Reinbek bei Hamburg, März 1978
Copyright © 1961 by Rowohlt Verlag GmbH,
Reinbek bei Hamburg
Ins Deutsche übertragen von Herbert Zand
«The Smile at the Foot of the Ladder» © Henry Miller,
Big Sur, Calif., USA, 1948
Illustrationen von Joan Miró © 1977 by ADAGP, Paris,
und Cosmopress, Genf
Lithographie von Mühlmeister & Johler, Neumünster
Umschlaggestaltung Barbara Hanke
(Umschlagbild von Joan Miró)
Für die Taschenbuchausgabe eingerichtet
von Birgit Henningsen
Satz Palatino (Linotronic 500)
Gesamtherstellung Clausen & Bosse, Leck
Printed in Germany
ISBN 3 499 14163 9

23. Auflage März 2001